아이가 셋이라서

프로 독박 육아러의 삼 남매 이야기

저자 김진경

“넌 꿈이 뭐니?” “현모양처요!” 어릴 적 철없이 내뱉었던 대답이 현실이 된 결혼 12년 차, 육아 11년 차 삼 남매 엄마입니다.

아이들을 키우며, 아이들을 통해 배우며 매일 더 나은 어른이 되어가고 있습니다.

아이가 셋이라서

프로 독박 육아러의 삼 남매 이야기

김진경

책/소/개

아이들이 귀해지는 요즘 시대. 초등 고학년, 저학년, 미취학 아이가 한집에 다 모여 있다! 군인 남편의 인사이동에 따라 연고지 없는 지역을 돌아다니며 홀로 지우, 지아, 지호 삼 남매를 키우는 11년 차 엄마의 이야기입니다. 벼랑 끝에 선 현실 육아 속에서 찾은 오아시스, 엄마의 심장을 뛰게 하는 아이들의 심폐소생 에피소드와 내일 더 나은 엄마가 되기 위한 다짐을 담았습니다.

차례

책소개 05
프롤로그 08

세아이가 커 간다

상담주간 13
콩쥐 쟁탈전 17
예쁜 달 21
다정한 마음 25
양보의 아이콘 29
아름다운 시선 33

엄마도 자란다

칭찬이 어색한 엄마 39
너와 나의 주파수 41
도돌이표 45
굿 모닝을 꿈꾸며 49

에필로그 55

프롤로그

'여기가 바닥이 아니었어?'

'아직도 내려갈 곳이 더 있단 말이야?

'여긴 어디? 나는 누구?'

분명 내가 낳았고, 내가 키운 내 자식인데! 얘가 도대체 왜 이러지? 내가 뭘 잘못 먹였나? 아이를 키우다 보면 이런 생각을 하게 되는 순간들이 쉴 새 없이 반복된다. 더불어 아이의 발달과업이 하나씩 달성되며 점점 자라날수록 엄마인 나는 나의 밑바닥을 새롭게 마주하게 된다. 마치 탈곡기 속 곡식처럼. 그렇게 오늘도 탈탈 털리고 있다.

일과 삶의 균형 따위 눈을 씻고도 찾을 수 없는 치열한 삶의 현장. 자녀라는 밑 빠진 독에 끊임없이 물을 채우는 비효율의 최고정점에 자리한 육아. 아이를 낳지 않는 것이 현명한 처사인 듯 흘러가는 사회 분

위기 속에서 그래도 내가 아이를 셋이나 낳고 기르며 행복할 수 있는 이유는 육아의 사막에서만 맛보는 특별한 오아시스가 있기 때문이리라.

인원수에 비례한 세 곱절의 충격은 순식간에 나를 방전시켜 버리지만 아이러니하게도 아이들이 주는 소소한 행복의 맛이 또 나를 살린다. 주유 등이 켜진 채 불안에 떨며 고속도로를 달리다 휴게소를 만났을 때의 안도감, 멈춘 심장을 뛰게 만드는 제세동기의 전율. 나를 살게 하는 한방의 맛이다.

아이들을 통해 받은 기억의 조각들은 나를 기름지게 만드는 자양분이 되어 엄마라는 땅에서 아이들이 좋은 알곡으로 자랄 수 있게 영양분이 돼준다. 그렇게 나는 어제보다 더 나은 내가, 엄마가 되어가고 있다.

1장.

세 아이가 커 간다

상담주간

해가 바뀌고 새 학기가 시작되면 아이도, 엄마도 바빠진다. 아이들은 새로운 선생님, 새로운 친구들, 새로운 환경에 적응하기에 바쁘고, 엄마는 밀려드는 각종 서류를 회신하며 덩달아 분주해진다. 그러는 사이 훌쩍 다가오는 학생 상담주간! 학기 초 선생님과의 면담이 어색하지만, 교실 안에서 선생님이 바라보는 아이들의 모습이 궁금하여 상담 일정을 잡고 학교에 방문했다.

이제 4학년이 된 첫째의 교실, 아이의 자리에 앉아 선생님을 마주했다. 고학년이 되어서인지 조금 압도되는 느낌이었다.

어색한 침묵을 깰 요량으로 바쁜 근무로 늘 부재중인 아빠와 무서운 엄마, 망아지 같은 두 동생 사이에서 빨리 성숙해진 첫째 딸임을 주절주절 얘기하는데, 담임선생님께서 대뜸 질문을 던지셨다.

"어머님, 집에서 아이들을 어떻게 키우시나요?"

앗? 예상 밖의 질문에 순간 등줄기에서 식은땀이 주르륵 흘렀다. 뭐라고 대답해야 하지? 어떤 문제 행동을 포착하셨나? 왜 저런 질문을? 나의 당황한 표정을 읽으신 선생님께서는 말씀을 이어 나가셨다.

"그림으로 표현하고, 꾸미는 걸 참 잘하는 친구더라고요. 쉬는 시간에 집중해서 책을 읽는 모습도 제법 눈에 띄고. 또 놀 때는 확실하게 놀아요. 배려할 줄도 알고. 개인적으로 집에서 어떻게 지도하시는지 궁금해서 여쭈어보았습니다."

내가 특별히 잘하는 건 없는 것 같은데. 선생님의 이야기를 듣고 있자니 기분이 좋으면서도 마음 한구석이 찔려왔다. 엄하고 무서운 집에서의 내 모습을 누구보다 잘 알기 때문에.

"아하하. 아무래도 아이가 셋이다 보니 남매간에 서로 주고받으면서 배우는 것들이 많지 않을까 싶어요."

"반에서 유일하게 스마트폰이 없는 친구인데도 전혀 개의치 않고 오히려 그 시간을 좋아하는 활동에 사용하는 모습이 같은 부모로서 부럽습니다."

큰아이 선생님과 짧은 상담을 마치고 나오며 삼 남매를 키우는 나의 노고를 학교라는 제도권 안에서 인정받는 기분이 들었다. 셋 낳길 잘했다 싶은 순간이다.

2학년이 된 둘째 아이의 선생님은 작년 첫째의 담임선생님이셔서 조금 편안한 마음으로 교실로 향했다. 자리에 앉기가 무섭게 선생님끼리 마치 입을 맞추기라도 한 듯 똑같은 질문을 내게 던지셨다.

"작년에 지우도 진짜 멋진 친구였는데, 지아는 더 훌륭하네요. 어쩜 이렇게 대견한지, 아이들을 키우는 비결이 뭐예요?"

"아, 제가 뭘 했다기보단, 둘째가 언니랑 동생 사이에 껴서 살아남

으려고 늘 애쓰는 아이라 제 앞가림을 잘하는 편이에요. 많이 칭찬해 주세요, 선생님."

"아유, 지아는 칭찬을 안 할 수가 없어요!"

감사합니다, 하나님! 학교 상담을 마치고 집으로 돌아오는 길에 절로 감사기도가 흘러나왔다. 나라를 지키느라 바쁜 아빠의 몫까지 육아는 오롯이 나의 일이기 때문에 사실 군인인 아빠보다 더 군인 같은 엄마, 늘 엄하고 무서운 엄마로 살아야 했다. 아이들의 마음을 하나하나 만져주고 싶은 마음은 있지만 그러지 못하는 현실 앞에서 늘 마음 한편이 무겁기만 했는데, 참 다행이다. 두 딸이 너무 멋지게 학교생활을 하고 있음을 확인할 수 있어서.

한 지붕 아래 세 명의 아이가 서로 주고받으며 만들어내는 수많은 경우의 수. 당장은 서로 비교하고 억울해하며 힘들다 느낄지라도 우리가 가진 강력한 무기였음을 언젠가 아이들도 깨닫는 날이 오길.

콩쥐 쟁탈전

현재 나이 11살, 9살, 6살.

미취학, 저학년, 고학년이 섞여 있는 시기이다 보니 잘 정리된 깔끔한 집은 진작에 포기했다. 세 녀석이 벗어 놓는 빨랫감에 세탁기와 건조기는 쉴 겨를이 없고, 물려 주고 물려 입는 옷들로 가득한 옷장은 혼돈 그 자체이다. 어지르는 셋의 속도와 치우는 나의 속도 차이는 결국 나를 또 급발진하게 만든다.

"내가 집 치우는 사람이냐!!"

영문도 모른 채 온몸으로 불을 내뿜는 엄마를 보고 겁에 질린 아이들의 눈빛. 그 모습이 마음에 얹혀 밤새 울던 날이 있었다. 그래, 어차피 혼자 감당 못 할 집안일, 아이들이 할 수 있는 선에서 뭔가를 시키자. 콩쥐 소환의 시작이었다.

"콩쥐 씨! 밥 먹게 식탁 좀 닦아주세요"

내가 사춘기를 지나던 무렵 엄마가 심부름 목록을 적어 놓은 것을 보며 '내가 콩쥐도 아니고, 이게 뭐야!' 하고 생각했던 적이 있다. 그 영향 때문인지 모르겠지만 아이들에게 집안일을 시킬 때면 아이들을 '콩쥐'라고 부르며 일을 맡긴다.

왜인지 주말이 더 바쁜 토요일 아침이었다. 주방에서 식사 준비를 하고 있는데 세 녀석이 건조기 앞에 옹기종기 모여 티격태격 난리가 났다.

"내가 제일 먼저 시작했으니까 내가 진짜 콩쥐야!"

"아니야, 내가 더 많이 했어!"

"야, 콩쥐는 여자야! 너는 남자잖아!"

시키지도 않았는데 건조기 속 빨랫감을 개며 서로 자기가 콩쥐라고 아우성친다. 케이블 채널의 아이돌 육성 프로그램만큼이나 흥미진진한 콩쥐 쟁탈전. 이건 뭐 투표라도 해야 할 판이다. 고사리 같은 손으로 서로의 옷을 개며 자신이 진정한 콩쥐라 말하는 아이들. 엄마의 인정을 갈구하는 경쟁일지언정, 그저 주말 아침 뭐라도 돕고 싶은 순수한 마음이 예쁠 따름이다. 사랑스럽기에 그지없다.

엄마를 돕는 기특한 아이들과 그걸 바라보는 흐뭇한 엄마로 아름답게 마무리되면 참 좋으련만. 현실은 냉정하고 경쟁은 치열하다. 제각각 엄마를 부르는 목소리. 판정 요청이 쇄도하자 '지끈' 두통이 시작될 것만 같다. 놓지 말자, 정신 줄!

"여러분! 다들 콩쥐로서 역할을 잘 수행해 주시고 계시는데요, 여러분 모두에게 10점을 드리도록 하겠습니다. 10점을 받은 분은 2라운드에 진출할 수 있고요, 언제 2라운드가 시작할지 아~무도 모릅니다! 그러니 지금부터 자유시간을 가지면서 2라운드를 준비해 주세요!"

모두가 행복한 콩쥐로 남도록 잠시 판정을 보류했다. 그리고 빠르게 집안을 스캔한다. 기회를 놓칠 수 없지! 건조기 속 빨랫감은 마무리된 듯하니, 저녁 반찬으로 쓸 콩나물 머리를 다듬고, 가지고 놀지 않는 장난감도 정리하라고 해야지. 아. 각자 쓴 물컵도 씻어놓으라고 해야겠다.

콩쥐 쟁탈 전의 진정한 승자는 바로 나다.

예쁜 달

세 번의 임신과 출산, 그리고 오랜 아기띠 착용은 열심히 육아에 매진한 훈장처럼 내게 체형 변화를 선사했다. 욱신거리는 통증이 심해질 때면 종종 수영장을 찾곤 하는데, 수영을 잘하진 못하지만, 확실히 운동을 한 날과 하지 않은 날의 차이가 극명하게 느껴져 일부러 시간을 내려고 노력하고 있다. 생존을 위한 운동. 육아는 체력전이다.

자려고 누우면 어김없이 찾아와 밤새 나를 괴롭히는 통증은 오전부터 바삐 움직여야 하는 날이었음에도 수영장을 찾게 했다. 아이들을 등교시킨 뒤 잠시 짬을 내 들른 아침 수영. 살기 위한 몸부림이었다.

그날따라 왜 그렇게 겹치는 일정들이 많았는지 정말 엉덩이를 대고 앉을 시간도 없이 종종걸음으로 하루를 보냈다. 잘했어, 나 자신. 바쁜 일정 속에서 운동까지 한 나. 자랑스럽군. 스스로 뿌듯해하면서 저녁밥을 차린 뒤 세탁물을 정리하는데 뭔가 싸하다. 수영 가방을 어디에 뒀더라. 어? 차에 두고 내렸나? 어디에 갔지? 수영가방!

시간을 쪼개서 수영장에 간 탓이었을까. 머릿속이 복잡해서였을까. 아니면 통증 때문이었을까. 뭐지? 지금 나를 칭찬하고 있었는데! 수영가방을 탈의실에 두고 온 사실조차 까맣게 잊고 있는 내가 너무 한심했다. 분명 천국이었는데 눈을 깜박이니 지옥이다. 그리고 엄습하는 불안감. 찾지 못하면 어쩌지.

불안은 강한 전염성을 가지고 있다. 엄마가 불안하면 아이들도 불안해진다. 중얼중얼 자책의 말을 내뱉으며 잃어버린 수영가방을 찾는 나를 보는 아이들의 눈동자가 요동치고 있었다.

그때 둘째가 갑자기 창밖을 내다보며 소리쳤다.

"우와! 달이 엄청 예뻐! 예쁜 달이야!"

적막을 깨는 둘째의 외침에 화답이라도 하듯이 맞장구를 치기 시작하는 큰아이와 막둥이 녀석.

"오! 진짜네?!"

"엄청 예뻐! 엄마도 봐봐요!"

"그렇지! 엄청나지?"

어떻게든 집안 공기를 바꾸어 보려고 애쓰는 아이들의 작은 무대가 펼쳐졌다. 둘째가 계속 말을 이어 나갔다.

"엄마, 봐봐. 엄마 속상하지 말라고 하나님이 이렇게 예쁜 달을 선물로 보내주셨잖아! 그러니까 너무 걱정하지 마. 내일 수영장에 가면 그 자리에 그대로 있을 거야."

누가 어른이고, 누가 아이인지.

밤새 자책과 불안에 사로잡혀 끙끙 앓고 있을 엄마를 위해 둘째는 그렇게 따뜻한 위로를 건넸다. 예쁜 달이 떴다고.

[그럴 수도 있지, 괜찮아]

실수하는 아이들에게 수도 없이 하는 말이지만, 정작 내 자신에겐 할 수 없었던 말, 괜찮다는 말. 아이들이 건네는 따뜻한 위로가 바짝 날을 세우고 있던 나를 유연하게 만들어주었다.

그래. 괜찮을 거야. 달이 예쁘니까.

다정한 마음

첫째 지우가 2학년 때, 엄마보다 더 많은 시간을 함께하던 친구가 있었다. 당시 우리 집은 6층, 친구 집은 9층. 먼저 학교 갈 준비를 마친 사람이 서로의 집 벨을 누르고, 사이좋게 이야기하며 아침 등굣길에 오르는 게 일상이던 시절. 부엌 환기창 너머로 두 아이의 뒷모습을 바라보고 있노라면 어젯밤 폭풍처럼 몰아쳤던 나의 육아 분노 게이지는 어느새 신기루처럼 사라지고, 그 자리엔 오늘 하루도 아이들이 즐거워지길 바라는 따뜻한 아지랑이가 피어나곤 했다.

여느 때와 같이 친구를 데리러 9층으로 올라간 지우에게 놓고 간 우산을 건네려고 내려오는 엘리베이터를 멈춰 세웠다.

"엄마, 민아가 아파서 학교 못 간데."

엘리베이터 문이 채 열리기도 전에 아쉬움이 잔뜩 묻어난 지우의 목소리가 울려 퍼졌다. 문이 스르륵 열리며 울상이 된 지우의 얼굴 뒤로 우두커니 서 있던 한 남자. 지우 친구의 아빠였다. 잠옷 바람에 세수도 하지 않은 채 이웃을 마주하기 민망했던 나는 지우에게 던지듯 우산을 건네고 후다닥 집으로 들어왔다. 신발장 거울에 비친 내 모습에 또다시 얼굴이 달아올랐지만 이미 엎어진 물.

오후에 잠시 우리 집에 내려온 9층 엄마를 붙잡고 마치 해명이라도 하듯 아침에 있었던 엘리베이터 사태에 대해 구구절절 이야기했다. 이렇게라도 해야 이불 킥을 면할 것 같았다. 아이 키우다 보면 그럴 수 있지, 나도 집에서 그러니 너무 괘념치 말라는 위로의 말을 듣고 싶었는데, 9층 엄마는 지금 그게 문제가 아니라는 듯 다른 이야기를 꺼냈다.

"저 오늘 민아, 얘기 듣고 정말 깜짝 놀랐어요, 지우가 정말 마음이 따뜻한 아이더라고요, 엄마인 저보다 낫던데요?!"

이야기인즉슨, 병원에 다녀온 후 늦게 등교한 친구가 계속 기침을 하니 첫째가 휴지를 건네며 등을 두드려주더라는 것이었다. 감기가 빨리 나으려면 가래를 잘 뱉어내야 한다는 설명과 함께.

집에서도 안 해주는데 학교에서, 그것도 친구가 돌봐주더라며 너무 감동하였다는 9층 엄마 앞에서 난 아무 말도 하지 못했다. 내 아이를 향한 타인의 칭찬 앞에 뭐라고 얘길 해야 하나 머리가 하얘졌다. 마치 엘리베이터 앞에서 무방비 차림으로 이웃을 만난 아침의 내 모습처럼.

왜 나는 내 아이를 향한 애정 어린 칭찬을 선뜻 받아들이지 못했을까. 세 아이를 키우며 첫째가 대견하다고 여겨졌던 많은 기억은 어디로 사라져 버린 것일까. 많이 늦었지만, 지금이라도 전하고 싶은 말. 다음에는 꼭 이렇게 대답하리라 다짐한다.

"네 맞아요, 우리 첫째는 정말 마음이 따뜻한 아이예요!"

양보의 아이콘

둘째가 6살 때 있었던. 지아는 유치원이 끝나면 태권도장에 들러 수련하고 집으로 돌아오곤 했다. 그날도 여느 때와 같이 태권도장에서 돌아올 아이를 기다리며 저녁을 준비하고 있었다. 태권도 수업을 마쳤음을 알리는 알람을 끄고 스마트폰을 내려놓는데, 갑자기 전화벨이 울렸다. 태권도장에서 걸려 온 전화였다.

모든 엄마가 그렇듯 하원 시간에 걸려 오는 교육기관의 전화는 두렵다. 왜 원에서 전화가 오지? 무슨 일이 있나? 혹시 어디 다치기라도 한 걸까? 벨이 울리는 그 짧은 순간에 수많은 물음표를 마음속으로 던지며 조심스럽게 전화를 받았다.

"지아 어머니, 안녕하세요? 태권도입니다!"

나의 속도 모르고 너무나 밝은 사범님의 목소리에 무슨 일인지 머릿속은 곱절로 더 복잡해졌다.

"아, 네! 사범님~ 어쩐 일로 전화를 주셨을까요?"

기어가는 목소리로 조심스레 던진 내 물음에 사범님은 상기된 목소리로 이야기를 이어 나가셨다.

"오늘 유치원에서 그린데이가 있었잖아요, 가방에 아이들이 만든 초록색 바람개비가 들어 있었는데, 도장에 도착한 친구가 가방을 정리하다 바람개비가 망가져서 울고불고 난리가 났었어요. 친구가 진정이 안 돼서 한참 실랑이하고 있는데, 지아가 옆에 오더니, '나는 바람개비 없어도 되니까 내 것과 바꿀래?' 하고 부러진 바람개비랑 바꿔 주는 거 있죠! 어머니, 저 너무 감동하여서 전화했어요!"

때마침 그날은 유치원에서 특별활동이 있었던 날이다. 뜨거운 여름날의 푸른 숲처럼 온통 초록색으로 꾸민 유치원에서 초록색 옷을 입고, 놀이 활동을 하는 그린데이! 유치원에서 온갖 정성을 쏟아 초록색 바람개비를 만들었을 둘째의 모습이 눈앞에 아른거렸다.

두 살 위 언니와 세 살 아래 동생 사이에서 자기 몫을 챙기기 바쁜 떼쟁이 울보가 자기 바람개비를 친구에게 양보했다고? 해가 서쪽에서

뜨지도 않았는데 어떻게 이런 일이 일어났을까? 뭐든지 잘하는 막강한 언니와 귀여움으로 중무장한 동생 사이에 끼인 둘째의 생존 전략은 내 몫을 확실히 챙기는 것인데! 본인 것이라면 찢어진 색종이 조각 한 장도 소중히 여기고, 제 몫을 지켜내고자 수많은 눈물을 흘리던 아이였는데 말이다. 만들기에 진심인 둘째가 영혼을 갈아 넣어 만들었을 바람개비를, 친구를 위해 내어놓았다니.

'동생한테 양보해, 언니한테 좀 나눠줘!' 평소에 늘 듣던 엄마의 강요에 마지못해 울며 수동적으로 움직이던 너였는데. 자발적인 양보의 업적을 쌓은 아이가 기특해서 주책맞게 눈물을 흘리고 말았다.

둘째는 눈물이 마를 날이 없는 아이였다. 뭐가 그렇게 억울하고 서러운지. 그만 징징대라는 엄마의 다그침에 속상해하던 둘째는 어느새 울고 있는 친구를 위로할 만큼 훌쩍 자랐고, 지금도 열심히 자라고 있다.

조금 불편하고, 억울하고, 속상하기도 했던 경험들은 둘째의 따뜻한 맘속에서 걸러지고 녹아내려져 마침내 타인을 향한 공감과 배려로 꽃피우게 될 것이다. 그렇게 자라리라 믿어 의심치 않는다.

'울며 씨를 뿌린 자, 기쁨으로 그 열매를 거두리로다'

아름다운 시선

"엄마 선물이 있어"

"선물?"

"진짜 좋은 거야~"

"뭔데?"

갓 여섯 살이 된 막내가 잔뜩 상기된 얼굴로 어린이집 가방에서 뭔가를 주섬주섬 꺼냈다.

"나뭇잎이네?"

"엄마 선물이야."

"어디서 났어?"

"어린이집에서 산책하다가 찾았지. 엄마 주려고~"

무심하게 나뭇잎을 건네주고는 새로 산 보드게임에 집중하는 막둥이. 순간 뭘 이런 걸 선물이라고 챙겨왔나 싶었지만, 다년간의 육아로 숙달된 형식적인 말을 건넸다.

"엄마가 소중하게 간직할게, 고마워!"

벌레가 갉아 먹은 흔적이 고스란히 담긴 잎사귀를 보며 멀쩡한 잎도 많은데, 하필 주워 와도 이런 썩은 잎을 골라서 왔나 싶었다. 소중하게 보관하겠다는 말과는 달리 나뭇잎을 아무렇게나 선반 위에 올려놓았고 그렇게 며칠이 지났다.

누군가로 인해 사람에 대한 실망감이 물밀듯 밀려와 우울하던 어느

날 밤, 문득 그 벌레 먹은 나뭇잎이 다시 생각났다. 다시 살펴보니 처음보다 빛을 잃고 색도 많이 어두워져 있었다.

'흠, 처음 봤을 때랑 느낌이 아주 다른데.'

으레 하던 습관대로 나뭇잎을 받을 때 찍어둔 사진을 찾아 찬찬히 살펴보았다. 붉은빛과 초록빛이 오묘하게 섞인 윤기 가득한 나뭇잎. 누군가에게 제 것을 내어주고 얻은 흉터가 마치 훈장 같기도 했다. 나뭇잎의 매력을 왜 처음엔 보지 못했을까?

막내가 엄마에게 선물로 주고 싶었던 생기 가득한 나뭇잎의 진가를 우울함이 바닥을 치는 순간에서야 드디어 마주하게 되었다.

땅에 떨어진 작은 아름다움을 발견하는 예쁜 눈. 그리고 그걸 엄마에게 전해주고 싶은 사랑스러운 마음이 오늘도 누군가의 말로 생채기 난 나에게 토닥토닥, 괜찮다고 위로를 건네준다.

막내의 나뭇잎이 내게 속삭인다.

괜찮아.

벌레가 좀 갉아 먹으면 어때서?

여전히 난 빛나고 있는걸!

너도 그래,

힘내!

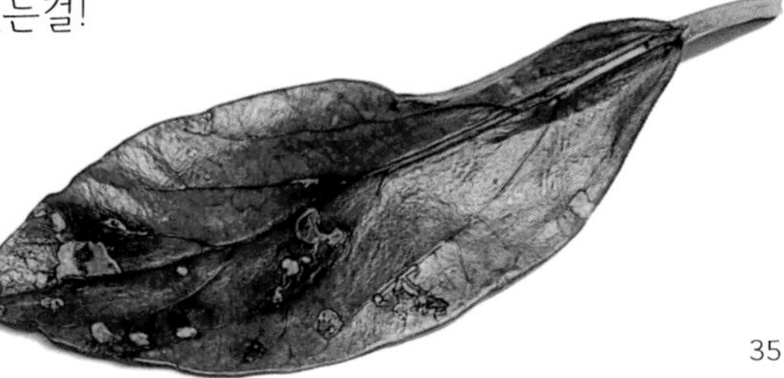

2장.

엄마도 자란다

칭찬이 어색한 엄마

누군가에게 칭찬을 받으면 감사하게 받아들이는 것이 일반적이다. 그런데 나는 칭찬을 들으면 그 사실을 부정하면서 다른 이유를 찾곤 한다. 특히 아이와 관련된 칭찬에 유독 인색한 나를 발견할 때가 많다.

"와, 애들이 어쩜 그렇게 의젓해요?"

"아니에요, 얘네 다 유리 같은 정신력이에요, 집에선 아주 전쟁이에요 전쟁."

매번 이런 식이다. 아이에 대한 칭찬을 그대로 받아들이지 않고 깎아내리는 엄마. 나는 왜 자녀에 대한 칭찬 앞에서 부정적이고 방어적인 태도를 보이는 것일까? 겸손을 미덕으로 여기시던 부모님의 영향이 일부 있을 순 있겠지만, 나 스스로 칭찬받을 만한 자격이 없다고 여기는 건 아닐지 생각했다.

알아서 척척 뭐든지 잘 해내던 엄친아 오빠와 나를 스스로 비교하며 한없이 작아졌던 내 어린 시절. 기억의 골짜기 어딘가에서 여전히 넘을 수 없는 높을 기준을 설정해 놓고 자신을 칭찬받기엔 부족한 사람이라 여기고 있는 것 같다. 나를 인정하고 칭찬할 수 있어야 내 아이에 대한 칭찬도 있는 그대로 받아들일 수 있지 않을까?

어디로 튈지 모르는 냄비 속 팝콘과도 같은 3남매. 비록 현실이 전쟁통일지언정, 그렇게 되길 바라는 염원 한 꼬집 살짝 뿌려 이렇게 대답할 수 있는 내가 되었으면 좋겠다.

"애들이 정말 의젓하죠? 집에서도 알아서 척척 잘해요!"

너와 나의 주파수

어린이집에 막내를 데리러 가는 시간이 다가왔다. 오늘도 어린이집 신발장에 홀로 덩그러니 남겨진 운동화를 마주했다. 다른 아이들은 이미 떠난 시간. 괜한 죄책감에 건네는 실없는 엄마의 이야기에 방긋 웃음으로 화답하는 씩씩한 막내.

"와! 오늘도 지호가 마지막 주인공이네?"

"응~~"

"선생님이랑 데이트 잘했어? 엄~~청 좋았겠다~~~"

누나들 사이에서 자란 셋째는 마지막이 익숙한 듯 주인공이란 말에 어깨가 또 으쓱한다. 배시시 웃는 그 모습에 괜히 더 미안해진다.

"오늘은 누나들 피아노 개인 지도 날이야"

"오늘은 엄마가 누나들 학교 도서실에 가야 해"

"오늘은 엄마가 공부하러 가는 날이야."

"오늘은...."

"오늘은....."

엄마의 시간에서 언제나 막내는 뒷전이다. 첫째 아이를 키울 때 나의 세상은 온통 아이 중심이었다. 그러나 아이가 둘이 되고, 셋이 되니 의도치 않게 시간 분배에 서열화가 생겼다. 둘째보다는 첫째에게, 막대보다는 둘째에게 더 많은 시간을 들였다.

사실 막내의 기다림을 당연한 듯 대하는 나를 마주하고 싶지 않았다. 그럴 때마다 이런저런 핑곗거리를 만들며 막내의 기다림을 정당화하기에 급급했다. 다자녀 가정의 생활이란 원래 그런 것이라는 자기합리화에 갇혀 정작 아이의 소중한 시간을 허비하고 있었던 건 아닐까? 문득 스치는 불안감은 죄책감이 되어 마음을 짓눌렀다.

어린이집에서 집으로 돌아오는 차 안. 5분이 채 되지 않는 짧디짧은 시간이 나의 24시간 중 막내와 내가 온전히 서로에게 집중하는 시간이다. 고사리 같은 아이의 손을 가만히 잡고, 서로에게 주파수를 맞춘다. 오늘 맞잡은 우리의 손은 어떤 느낌인지.

"오늘 손의 느낌은?!"

"음,.. 엄마 손은 민들레야."

"왜?"

"꽃처럼 예쁜 느낌이니까!."

"엄마는 어떤 느낌이냐면.(.) 용암을 만지고 있는 것 같아"

"용암? 헐~ 내 손이 용암이라니!!"

"너무 뜨거워~ 엄마를 너무 사랑하나 봐, 아이고 뜨거워!"

"깔깔깔"

너와 내가 서로에게 주파수를 맞추는 이 짧은 시간이 겹겹이 쌓이

길. 그래서 홀로 남겨진 쓸쓸함보다는, 엄마와 행복했던 추억의 한 자락으로 기억되길.

도돌이표

육아는 다양한 돌봄의 집합체이기에 엄마의 삶이란, 끝없는 돌봄의 연속이다. 그중 내게 가장 힘든 퀘스트는 홀로 아픈 아이를 간호하는 것. 대신 아파줄 수 없기에 아이가 먹지 못하면 나도 함께 굶고, 아이가 잠들지 못하면 나도 함께 밤을 지새우며 곁을 내어준다.

치열한 삶을 살아내느라 바쁜 남편에겐 도움을 바랄 여건이 되지 못한다. 연고지 없는 낯선 곳. 남편의 발령에 따라 이사를 하며 비빌 언덕 하나 없이 그렇게 나는 원초적 욕구를 포기하고 아픈 아이를 온 힘을 다해 돌봐야 한다.

겨우 건강을 회복했다고 안도할 즈음 다른 녀석의 이마가 펄펄 끓기 시작한다. 우려가 현실로 바뀌는 순간. 그리고 그 녀석이 나아갈 때쯤에는 마지막 남은 한 명이 시샘이라도 하는 듯 같은 대미를 장식하고야 만다.

다행인 것은 아이들이 자라며 앓고 지나가는 횟수가 줄고 있다는 것. 또 생각보다 가볍게 앓고 넘어가는 경우가 많아졌다는 것. 그럼에도 내겐 여전히 힘든 일이다.

아이들이 돌아가며 병치레하는 동안, 나는 아파도 아플 수가 없고 마음이 지쳐도 그저 버틸 수밖에 없다. 나도 아픈데, 홀로 오롯이 감당해야 하는 이 현실이 너무나 버겁지만, 그래도 버텨내야 한다.

나는 엄마니까!

도돌이표. 반복되는 상황 속에서 아이가 셋이니 나는 세제곱만큼의 힘이 필요하다. 근데, 이렇게 영혼까지 갈아 넣다 되돌아갈 힘이 없으면? 그때는 어쩌지? 가끔 알 수 없는 불안에 휩싸일 때도 있다. 하지만 나의 희생과 인내가 헛되지 않음을 알기에 오늘도 카페인을 수혈하며 전투 의지를 다진다. 반짝반짝 빛나는 보석 같은 세 아이가 건강하고 행복하게 자라주길. 비록 내 아픔을 마음껏 표현할 수는 없지만, 아이들의 웃음이 나의 보약임을 알기에 살아내리라.

굿 모닝을 꿈꾸며

아침을 깨우는 것이 유독 힘든 사람들이 있다. 바로 내 이야기이다. 눈은 떴지만, 정신은 여전히 버퍼링에 걸려 제 기능을 찾지 못하고, 정제되지 않은 날것의 반응들이 제멋대로 나오는 상태. 나의 아침이 그렇다.

이런 엄마 딸 11년 차에 접어든 큰아이는 아침에 나를 자극하지 않는 생존 전략을 구사하고 있다. 눈치가 100단인 막내 역시 큰 누나와 노선을 같이하고 있지만, 둘째는 여전히 그리고 꾸준히 나의 심기를 자극한다.

오늘은 평온한 아침을 보내리라 다짐했건만, 굿 모닝이 힘든 나를 꼭 빼닮은 복병, 둘째가 또다시 꿈틀대기 시작했다.

"아니!!! 나가라고!!!!"

"왜 만져!!!!"

"하지 말라고!!!!"

아침부터 짜증을 한가득 담은 펀치를 동생에게 날리기 시작하는 아이. 둘째가 바짝 날을 세워 짜증 섞인 날카로운 말을 내뱉을 때마다 참을 수 없는 화가 솟구친다. 나의 분노 포인트이다. 그토록 꿈꾸었던 아침은 오늘도 물거품처럼 사라지고, 거실엔 살얼음판 위 매서운 칼바람이 휘몰아친다.

"너는 아침부터 그렇게밖에 얘기를 못 해?"

"도대체 누가 6살인지 모르겠어!!"

"뭐 때문에 불편하다고 말을 해야 알지, 갑자기 짜증만 내면 되냐고!"

"언제까지 아기처럼 그렇게 소리만 지를 거야!"

네가 소리 질러 봤자지.

나는 아이에게 질 수 없다는 듯 더 무섭게 다그치고 화를 퍼부었다. 미처 잠에서 깨어나지 못한 날것의 내가 또 소환되고야 만 것이다. 그렇게 우리의 아침은 울음과 분노, 눈치가 뒤범벅된 BAD MORNING. 집을 나서는 둘째는 오늘도 눈물범벅이다.

비가 와서일까? 아침에 등교 준비를 하던 아이들의 모습이 온종일 마음에 걸렸다. 불꽃 튀는 나와 둘째의 신경전 뒤, 눈치 보기 급급한 첫째와 불안한 셋째의 얼굴이 자꾸 떠올랐다.

그칠 줄 모르고 내리는 비에 채 피어나지도 못하고 떨어진 벚꽃이 아이들의 모습 같았다. 이제 막 꽃을 피우기 시작한 벚꽃들이 속절없이 땅으로 추락하고 만다. 그토록 여리고 아름다운 꽃잎.

매섭게 내리는 봄비에 힘없이 떨어지는 꽃송이가 꼭 오늘 아침 우리 아이들의 모습인 것만 같아 마음이 계속 아려 온다.

아침을 깨우는 것이 힘든 걸 누구보다 잘 아는 내가, 그런 아이의 마음을 헤아리지 못하고 잡아먹을 듯 큰소리로 화를 토해내고야 말았다. 여린 꽃잎을 무너뜨린 장대비 같은 나의 모습. 부끄러움과 미안함이 마음속 깊이 자리 잡았다. 상처 주고 싶지 않았는데, 누구보다 아이들을 잘 키우고 싶은 마음과 달리 어른답게 반응하지 못한 내가 너무 한심하게 느껴졌다.

아이들이 집으로 돌아오면 한명 한명 붙잡고 진심으로 사과해야지. 그리고 함께 노력해보자고 얘기해야지. 바닥에 쌓여가는 벚꽃잎들을 바라보며 마음을 다잡는다. 내일 아침에는 부드러운 햇살처럼 따듯하게 아이를 맞이해야지. 너희가 기분 좋은 미소로 하루를 시작할 수 있도록, 작은 마음에 웃음꽃을 피울 수 있도록.

에필로그

함께 있을 때 더욱 빛나는 셋.

우리의 시간이 바람 잘 날 없는 매일의 연속일지라도. 언제, 어디로 이사할지 종잡을 수 없는 삶일지라도.

괜찮다. 세 아이가 만들어가는 미래를 기대할 수 있기에. 오늘보다 내일 더 멋진 우리가 될 것임을 믿기에.

아이가 셋이라서 참 다행이다.

육아라는 끝이 보이지 않는 사막을 헤매고 있는 나와 그대에게.

달콤한 오아시스는 아주 가까이에 있음을 기억하길.

작가 이메일 jinpoiu@naver.com

아이가 셋이라서 프로 독박 육아러의 삼 남매 이야기

발 행 | 2024년 07월 29일
저 자 | 김진경
사진 | 김진경
표지사진 | 김진경
디자인 | 오은정
인권표현검수 | 이지민
바른우리말검수 | 이지민
후원 | 제주특별자치도, 제주문화예술재단
주관 | 서귀포 오아시스
미디어에디터 | 최인서
작품편집, 에이전트 | 박산솔, 이선경
펴낸이 | 한건희
펴낸곳 | 주식회사 부크크
출판사등록 | 2014.07.15.(제2014-16호)
주 소 | 서울 금천구 가산디지털1로 119, SK트윈타워 A동 305호
전 화 | 1670 - 8316
이메일 | info@bookk.co.kr

ISBN | 979-11-410-9765-3

www.bookk.co.kr

2024 엄마의 활주로 '함께육아에세이'의 취지에 맞게 작가의 감정 표현과
아이의 언어 표현을 지키는 방향으로 교정 교열 하였습니다.

본 책은 강원교육모두체, 학교안심(확장)바른돋움체, 상상토끼꽃길체가 사용되었습니다.

본 책은 제주특별자치도와 제주문화예술재단의 후원을 받아 제작되었습니다.

Jeju JFAC 제주문화예술재단 Jeju Foundation for Arts & Culture

값 11,300원
03810
9 791141 097653
ISBN 979-11-410-9765-3

그건, 사랑

스마일양

BOOKK